Energías del futuro

Dirección editorial: Cristina Arasa
Proyecto editorial: Karen Coeman
Coordinación de la colección: Mariana Mendía
Cuidado de la edición: Pilar Armida
Formación: Maru Lucero
Traducción del inglés: Juan Elías Tovar
Texto: Hye-jeong Lee e Ik-su Kim
Ilustraciones: Seon-ung Baek

Energías del futuro

Título original en inglés: *Why Should We Use Future Energies?*

Texto D.R. © 2010, Chunjae Education Inc.

Editado por Ediciones Castillo por acuerdo con Chunjae Education Inc.
a través de TheChoiceMaker Korea Co. Todos los derechos reservados.

Primera edición: agosto de 2013
D.R. © 2013, Ediciones Castillo, S.A. de C.V.
Castillo ® es una marca registrada.
Mundo Mosaico ® es una marca registrada de Ediciones Castillo, S.A. de C.V.

Insurgentes Sur 1886, Col. Florida,
Del. Álvaro Obregón,
C.P. 01030, México, D.F.

**Ediciones Castillo forma parte
del Grupo Macmillan**

www.grupomacmillan.com
www.edicionescastillo.com
infocastillo@grupomacmillan.com
Lada sin costo: 01 800 536 1777

Miembro de la Cámara Nacional
de la Industria Editorial Mexicana.
Registro núm. 3304

ISBN: 978-607-463-888-2

Impreso en México/*Printed in Mexico*

Energías del futuro

Texto de Hye-jeong Lee e Ik-su Kim
Ilustraciones de Seon-ung Baek

Vamos a la Isla Bellota

Mi mamá y yo fuimos a la Isla Bellota a pasar las vacaciones de verano en casa de mi tío, quien se mudó ahí el año pasado.

Estaba muy emocionada de pasar las vacaciones con mi prima Sofía y su papá. Mi tío quiere transformar la isla en un pueblo sustentado por **energías del futuro***. Él es un científico que estudia la energía.

* **Energías del futuro:** aquellas energías producidas por recursos abundantes que causan poca contaminación ambiental.

¡Qué gusto volver a verte, Sofía!

¡Bip, bip! Nos subimos al coche y recorrimos un camino de terracería. Una brisa fresca me sacudía el pelo.

—Tío, qué aire tan fresco.

—A diferencia del aire de la ciudad, el de aquí no está contaminado. En este lugar sólo usamos energías del futuro que sean **amigables con el ambiente*** y que emitan menos contaminantes.

—¿Y ésas cuáles son? —pregunté, pues sonaban como algo estupendo.

* **Amigable con el ambiente**: que no daña el medio y está en armonía con la naturaleza.

—Este coche funciona con energía del futuro; usa
combustible hecho de maíz y caña de azúcar.

—¿Qué? ¿El coche funciona con maíz y caña de azúcar?

—Sí. Esta energía se llama bioetanol —explicó
mi tío mientras cargaba el tanque del auto.

Yo estaba con la boca abierta.

¿Cómo podemos obtener energía del maíz?

El bioetanol es un tipo de energía renovable que se produce de la **fermentación*** de cosechas de maíz, caña de azúcar, trigo o papa. El bioetanol es una fuente de energía llamativa, pues emite pocos contaminantes. Sin embargo, aún tiene algunos puntos débiles:

- Su producción requiere mucha energía.
- En su proceso de fabricación se libera dióxido de carbono.
- Puede elevar el precio de las cosechas.

* **Fermentación**: descomposición química anaeróbica de una sustancia por microorganismos, la cual transforma los carbohidratos en energía.

1. Las cosechas se cortan en pedacitos y se licúan.

Levadura

2. A este líquido se le agrega levadura para desencadenar la fermentación del etanol.

Dispositivo de cultivo

Levadura

3. Se separa el alcohol del etanol.

4. Así se hace el bioetanol.

¿O sea que este coche usa el bioetanol como combustible?

Claro. Es bueno con el medio ambiente porque no produce contaminantes.

Basura

Reciclable

Llegamos a casa de mi tío.

—¿Qué es eso en el techo de la casa?

—Es un **captador solar**[*]. Sirve para aprovechar la energía del sol. Cuando éste brilla, el captador almacena el calor de los rayos que emite. Esta energía puede usarse para la calefacción o para calentar agua —explicó mi tío.

[*] **Captador solar**: dispositivo con celdas que concentran la energía del sol.

Calentador solar

Celdas solares

Al igual que la nuestra, algunas casas son diseñadas para funcionar con energía solar. Se llaman casas solares.

¿Cómo se usa la energía solar?

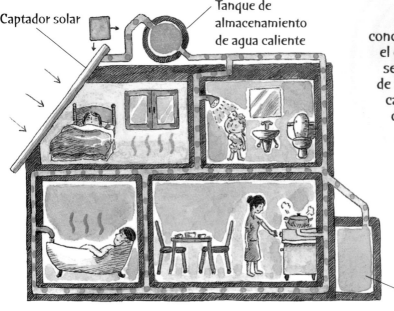

Captador solar

Tanque de almacenamiento de agua caliente

La energía del sol se concentra en el captador solar, el cual calienta el agua que se encuentra en el tanque de almacenamiento. El agua caliente se usa en la casa o se envía al calefactor.

Calentador

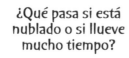

¿Qué pasa si está nublado o si llueve mucho tiempo?

No pasa nada, pues el agua se conserva caliente durante varios días.

Cuando entré en la casa, vi que la luz del sol inundaba la sala a través de una enorme ventana.

—¡Qué ventana tan grande!

—La luz del sol que entra también se usa como energía. El vidrio tiene paneles solares integrados —me explicó Sofía.

Después, mi prima me llevó a la cocina.
—Prueba este camote. Lo cocinamos
en el horno que funciona con energía solar.
Me dejó con el ojo cuadrado.

Horno solar

Puedes quemar un
papel con una lupa.
Usando el mismo
principio, el horno
cocina la comida.

En la sala había una bicicleta. ¡Yo soy muy buena para andar en bici! Me puse a pedalear y la televisión se prendió.

—Eso es un dinamo de bicicleta. Cuando accionas el pedal, el dinamo produce electricidad —dijo Sofía.

—¡Guau, qué increíble! Yo sola generé electricidad.

Dinamo

Al día siguiente, mi tío me despertó temprano.

—Jimena, vamos a dar un paseo para que conozcas la isla.

Mi tío manejó un rato y luego estacionó su coche frente a un invernadero.

—Aquí estoy haciendo parte de mi investigación sobre cómo generar energía usando recursos naturales, cosechas y desperdicios. Este invernadero se calienta usando la energía de la quema de desechos.

Me sentí muy orgullosa de mi tío.

¿Cómo calentamos el invernadero con la energía que se produce de la quema de desechos?

agua caliente

agua fría

1. El calor generado al quemar los desechos se envía a un intercambiador de calor.

2. En el intercambiador se calienta el agua fría.

3. Una vez que el agua está caliente, una bomba de calor la envía al invernadero.

4. El invernadero se calienta.

—Ésta es una planta de bioenergía. Produce
combustible extrayendo aceites vegetales de las
plantas.

Señalando al edificio de al lado, Sofía agregó:

—Allá fermentan el estiércol de los animales
y los desperdicios de comida. La energía producida
por los gases que se generan en este proceso puede
utilizarse para distintos fines.

¿Qué es la bioenergía?

Es la energía que se genera a partir de fuentes biológicas, como el estiércol y las plantas; de ellas se extrae aceite, y el combustible se elabora fermentando el azúcar de las cosechas.
La fermentación del estiércol o de desperdicios de comida produce gas combustible.

De los frijoles o la canola se extrae aceite para hacer biodiésel.

Medio de cultivo

El azúcar de la cebada o el maíz se fermenta para elaborar bioetanol.

Medio de cultivo

El estiércol o los desperdicios de comida se fermentan para producir gas combustible.

21

—Eso debe ser un dispositivo para generar energía, ¿verdad? —pregunté al pasar frente a una pequeña represa.

Mi pregunta hizo sonreír a mi tío.

—¡Jimena está aprendiendo muy rápido! Ésa es una planta hidroeléctrica a pequeña escala. Es capaz de generar energía sin necesidad de que la alimente una presa gigante.

Esta planta hidroeléctrica a pequeña escala se puede construir en una represa o en un arroyo. No es necesario contar con un gran río.

¿Eh? A mí me enseñaron que las plantas hidroeléctricas necesitaban una presa enorme.

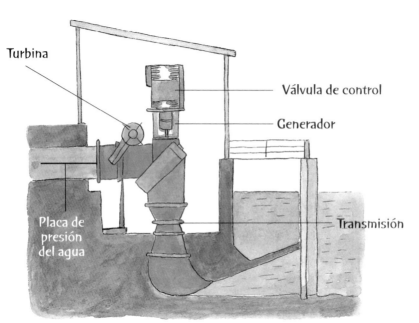

Turbina

Válvula de control

Generador

Placa de presión del agua

Transmisión

La energía del agua que cae desde una distancia corta puede impulsar un generador.

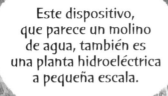

Este dispositivo, que parece un molino de agua, también es una planta hidroeléctrica a pequeña escala.

Después visitamos la planta geotérmica.
—¿Qué es la energía geotérmica? —pregunté.
—Es la que se genera a partir del calor que hay en la profundidad de la Tierra.
—Ah, ¿como las aguas termales?

Algunas casas se calientan usando energía geotérmica en vez de energía solar.

En lo profundo de la Tierra hace mucho, mucho calor.

¿De verdad?
No sabía...

¿Qué es la energía geotérmica?

Aquella energía derivada del calor natural de la Tierra. Las plantas de energía geotérmica suelen construirse en zonas volcánicas. El agua de las fuentes termales en las zonas volcánicas se usa para baños o para calentar invernaderos y hogares.

2. El agua se calienta con el calor de lo profundo de la Tierra.

3. Una vez que esto sucede, se manda a una casa mediante una bomba de calor.

4. El agua caliente puede usarse para que la gente se bañe o para hacer funcionar la calefacción.

1. Un calentador geotérmico envía el agua fría bajo tierra para que se caliente.

Mi tío nos llevó a una colina cubierta de pasto.
—¡Miren cuántos molinos!
Sofía y yo subimos juntas.
La brisa del mar soplaba muy fuerte, haciendo que los molinos giraran sin parar.
—Se llaman aerogeneradores y crean energía eólica usando la fuerza del viento.

Sí, así es.

¿Generan
electricidad
con el viento?

¡Yupi,
qué fresco está!

¿Cómo se puede generar electricidad con el viento?

La energía eólica es la que produce el viento al generar movimiento. Este generador eléctrico es fácil de construir y su fabricación no requiere mucho dinero. Suele construirse en las zonas donde hay mucho viento. Sin embargo, éste no siempre sopla, así que es necesario contar con cierta tecnología para almacenar la energía producida.

En el cielo resplandecía la puesta del sol.

—¡Guau, qué hermoso!

—Sí. Y para preservar la hermosura de la naturaleza, tenemos que encaminar nuestros esfuerzos hacia el desarrollo de las energías del futuro.

Al escuchar las palabras de mi tío, tomé una decisión. ¡Seré la primera en descubrir una nueva energía del futuro!

¿Qué son las energías alternativas?

Desde hace mucho tiempo, la humanidad ha usado la madera como combustible. Los combustibles fósiles como el carbón y el petróleo empezaron a usarse extensamente hace unos 400 años, cuando el sector industrial comenzó a desarrollarse rápidamente. Al quemarse, el carbón y el petróleo emiten contaminantes que dañan el medio ambiente. Además, estos combustibles están en peligro de agotarse. Por lo tanto, están realizándose grandes esfuerzos por desarrollar nuevas fuentes de energía que sean abundantes y que no contaminen. A esta clase de energía se le conoce como "energía del futuro".

¿Qué tipos de energía del futuro existen?

Las energías del futuro se dividen en renovables y nuevas. Las energías renovables incluyen las plantas hidroeléctricas a pequeña escala, la energía eólica, la **biomasa***, la energía solar térmica, la **energía solar fotovoltaica***, la energía oceánica, la energía geotérmica y la energía producida a partir de desperdicios. Los recursos para producir energía renovable existen en la naturaleza y están disponibles continuamente.

Las energías nuevas incluyen la licuefacción y gasificación del carbón, el hidrógeno y las pilas de combustible. Son nuevos métodos para usar los combustibles fósiles.

Energías actuales

energía nuclear
petróleo
gas natural
carbón

Energías del futuro

biomasa
energía solar fotovoltaica
agua
aire
energía geotérmica

* **Biomasa**: una manera de generar energía utilizando plantas o microorganismos, tales como subproductos agrícolas, estiércol y desperdicios de alimentos.
* **Energía solar fotovoltaica**: método para generar electricidad usando la luz del sol.

¿Por qué desarrollar las energías del futuro?

Energía eólica

Aunque desarrollar las energías del futuro cuesta mucho dinero son de gran valor pues la energía generada de los combustibles fósiles emite contaminantes que causan graves problemas ambientales. Además, son recursos no renovables y sus precios incrementan todo el tiempo. Las energías del futuro resultarán indispensables a corto plazo y se usarán tanto como el carbón, el petróleo, el gas natural y la energía nuclear.

¿Cuál es la diferencia entre la energía fotovoltaica y la energía solar térmica?

La energía fotovoltaica utiliza la luz del sol, mientras que la energía solar térmica proviene del calor del sol. En el caso de la energía fotovoltaica, la luz del sol se transforma en energía eléctrica al ser almacenada en una celda fotovoltaica. Al conectar muchas celdas fotovoltaicas, podemos obtener suficiente electricidad para usar en una casa. Algunos tipos de postes de luz y calculadoras portátiles funcionan con estas celdas.

La energía solar térmica está basada en el principio de concentrar el calor solar para hervir agua. El agua que se hierve canalizando el calor del sol, echa a andar un generador que crea electricidad. Entonces podemos usar la electricidad para el aire acondicionado y la calefacción de las casas, así como para calentar el agua.

Paneles solares

¿Qué es una planta hidroeléctrica a pequeña escala?

Basada en el mismo principio de la energía hidráulica, una planta hidroeléctrica a pequeña escala genera electricidad utilizando la energía que produce el agua al caer. Una diferencia entre ambos métodos es que la planta hidroeléctrica a pequeña escala se puede construir en un arroyo o cascada sin necesidad de construir una enorme presa en un gran río. En una planta hidroeléctrica a pequeña escala, el agua de un arroyo o represa hace girar una rueda, la cual acciona un generador que produce electricidad. Tiene la ventaja de que es fácil de instalar, porque puede colocarse en cualquier parte donde corra cierta cantidad de agua. Lo más importante es que se trata de energía limpia, que no afecta los ecosistemas a su alrededor.

Planta hidroeléctrica a pequeña escala en una presa común

¿Qué es la energía de fusión nuclear?

Aparato de investigación de fusión nuclear

La energía de fusión nuclear es la electricidad generada al combinar cuatro núcleos de hidrógeno para formar un núcleo de helio. En el proceso, se produce una enorme cantidad de energía. El sol emite una tremenda cantidad de luz y calor, ya que en el sol ocurre una fusión nuclear. Esta energía no genera sustancias dañinas al medio ambiente. Sólo hay un problema: se requiere una temperatura de aproximadamente 100 millones de grados centígrados (°C) para desencadenar la fusión nuclear. Muchos científicos están tratando de lograrlo.

¿Existen vehículos que funcionen con combustibles alternativos?

Hoy en día, se desarrollan motores de vehículos capaces de utilizar combustibles alternativos como electricidad, hidrógeno o aceites vegetales. Los vehículos con dichos motores se llaman vehículos de combustible alternativo. Un coche eléctrico funciona con baterías. Un vehículo híbrido es impulsado por ambas fuentes de energía: electricidad y gasolina. Un vehículo de pila de combustible funciona con electricidad que se genera al combinar hidrógeno y oxígeno. Un vehículo biodiésel funciona con combustible vegetal, es decir, hecho de plantas. Este tipo de vehículo de combustible alternativo es el más popular.

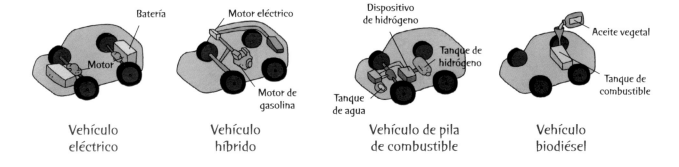

Vehículo eléctrico

Vehículo híbrido

Vehículo de pila de combustible

Vehículo biodiésel

¿Por qué desarrollar las energías del futuro?

Conforme los precios internacionales del petróleo muestran una tendencia a la alza, el desarrollo de las energías del futuro se vuelve más importante.

¿Por qué siguen subiendo los precios del petróleo?

¿Cuándo vamos a usar las energías del futuro en vez de petróleo?

Va a ser un gran problema. Tenemos que ahorrar energía.

Va a ser más rápido que yo desarrolle las energías del futuro cuando crezca.

Por cierto, ¿sabes qué son las energías del futuro?

Los combustibles fósiles como el carbón y el petróleo se van a agotar en menos de 100 años.

¿Qué quiere decir "fósil" y "agotar"?

¿Vas a desarrollar las energías del futuro y ni siquiera sabes lo que significan esas palabras?

Por suerte, tenemos al Dr. Genio.

"Fósil" quiere decir que se formaron hace millones de años, y "agotar" significa que se van a acabar.

CENTRO DE INVESTIGACIÓN

Dr. Genio, ¿por qué siguen subiendo los precios del petróleo?

Hay muchas razones. La principal es que el petróleo se está acabando.

Entonces, ¿ya no podremos salir a pasear en coche?

Por eso los científicos se están esforzando en desarrollar energías del futuro.

Vámonos a dormir.

la ENERGíA dEl futuro

Las energías del futuro son sustentables y no causan contaminación ambiental.

Los combustibles fósiles contaminan el aire.

Hay muy poco carbón y petróleo.

La mayoría de las energías del futuro usarán fuentes naturales de energía como el calor del sol, el viento, las mareas y la energía geotérmica.

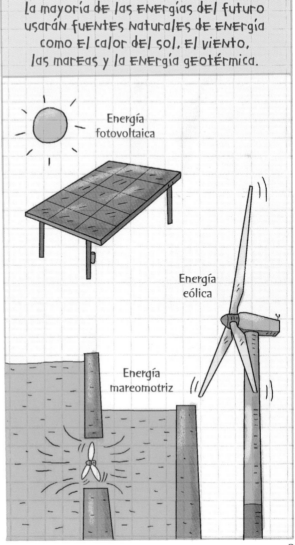

Energía fotovoltaica

Energía eólica

Energía mareomotriz

Quemar combustibles fósiles emite una enorme cantidad de contaminantes como dióxido de carbono y gas metano.

En cambio, las energías del futuro pueden seguir usándose sin contaminar el medio ambiente.

¡Es un coche de energía solar!

¡Guau, no causan contaminación ambiental!

¡Yupi, viva!

¿Y podemos usarlas para siempre?

Pero aún no se han desarrollado lo suficiente como para reemplazar los combustibles fósiles.

Así que todavía tenemos que usar el petróleo…

Por eso los precios del petróleo siguen subiendo.

La contaminación ambiental empeora…

¿Y cuándo vamos a generar suficientes energías del futuro?

¡Miren!

Primero hay que pensar en cómo salvar a la Tierra.

En conclusión…
¿Por qué usar las energías del futuro?

Los combustibles fósiles como el carbón, el petróleo y el gas se han usado a un ritmo acelerado; pero la cantidad de combustibles fósiles que hay en la Tierra es limitada. Además, al quemarse, liberan sustancias dañinas, lo cual provoca una grave contaminación ambiental. A diferencia de los combustibles fósiles, las energías del futuro cuentan con recursos renovables y causan menos contaminación.

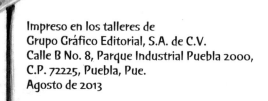

Impreso en los talleres de
Grupo Gráfico Editorial, S.A. de C.V.
Calle B No. 8, Parque Industrial Puebla 2000,
C.P. 72225, Puebla, Pue.
Agosto de 2013